你吃过豌豆吧，

对顽皮的小男孩来说，它们可别有用处——把豌豆兄弟放进玩具炮筒里当炮弹。

豌豆们都飞到哪儿去了？

有的向往耀眼的生活，被鸟儿吃掉了；

有的喜欢自吹自擂，掉进水里都快胀破了；

最小的那颗豌豆，它想得到什么呢？

转眼时光流过，窗外，一片岁月静好。

出版说明

童话的永恒魅力不仅仅在于故事内容充满激动人心的冒险和悬疑，契合儿童天马行空的想象世界，而且还能帮助孩子"处理成长过程中必须面对的内心冲突"。是它们呵护着我们的童年。

英国作家卡罗尔曾借笔下爱丽丝之口说过："如果一本书里没有图画和对话，那还有什么意思呢？"如果说童话是儿童的精神之源，那么，图画则是儿童感知和表达的重要手段。每个儿童天生都是艺术家，正是在这个意义上，对于主要通过模仿来感知世界的儿童来说，为其选择何种插图的儿童读物就尤为重要。

我们郑重地向您推荐这套共 60 本的《彩色世界童话全集》。

这套书此前在大陆有两个版本：一为中国文联出版公司 1987 年平装版，分 60 册。一为海豚出版社 1995 年精装版，只出了 10 册，每册两个故事。后一版本因定价过高而鲜为人知，文联版则影响颇大。在当时国内儿童读物严重缺乏的大背景下，这套书给很多人留下了深刻的印象。以至于今天，当年受其惠泽的读者多已为人父母，他们在为自己子女挑选童话读本时，才发现即便在当下儿童读物引进和原创空前繁荣的情形下，曾经的《彩色世界童话全集》依然冠绝群伦。

这套书最初由意大利老牌出版机构 Fabbri 出版于 1966 年，八十年代初台湾光复书局引进繁体字版。大陆文联版即从台湾光复版翻印，除将繁体字改为简体字，其他一仍其旧。但光复版因要照顾台湾竖排右翻的阅读习惯将原版的许多图片做了水平翻转处理，导致诸多文图错位。此次出版，严格按照原版，不复存在如是问题。

台湾光复版和文联版插图绘制者信息皆阙如，此次出版一一标注，以示对作者之尊重。自 2010 年起，Fabbri 陆续重新出版了这套书，并将其做成了有声书，因配音无法直接引进，故此次简体字本没有附加配音。译文由台湾著名儿童文学家方素珍主持编译，因篇幅有限，难免有差强人意之处，敬请谅解。

五颗豌豆

〔丹麦〕安徒生◎著　　〔意大利〕米歇尔◎绘　　崔旭◎编译

新世界出版社
NEW WORLD PRESS

　　春天来了，阳光暖暖的，微风轻轻地吹着，小草从泥土里探出头来东张西望，花儿绽放着自己的美丽。勤劳的小蜜蜂扭动着腰肢，飞来飞去忙着采蜜。

　　在这色彩斑斓的世界里，一颗翠绿的豆荚也在春风里爬上了竹枝。在小豌豆荚里，住着五颗豌豆宝宝。它们碧绿碧绿的，连透过来的阳光，也带着一抹新绿。

　　夜晚悄悄地来了。露珠在豆荚嫩绿的叶子上
缓缓凝结，小豌豆们也在豆荚里甜甜地睡去。在
梦里，它们依然被绿色的世界包围着。

　　第二天，太阳的光辉重新温暖着世界，小豆
荚们睁开惺忪的睡眼，又是一片绿色的天地！

　　在这宁静祥和中，时光悄然滑过，从早晨到
中午，从中午到晚上，从日出到日落，日子一天
天过去了。不知不觉中，豆荚里的小豌豆们已经
长得饱满而圆润。

小豌豆们慢慢地长大了，它们开始交流彼此的思想。

大哥说："每天都这样，我早就厌烦了。"

二哥说："是啊，外面的世界是什么样的？"

三哥说："我的身体已经像我的思想一样僵硬了。"

四哥说："真想到豆荚外面的世界去看看。"

夏天到了，温和的阳光变得炽热，小豌豆们已经成熟了。

大哥擦着汗，烦躁地说："不要挤我啊，好热啊。"

二哥也不甘示弱地说："为什么你不靠边一点。"

三哥劝道："你们不要吵啦。"

四哥也加入了讨论："难道没有其他办法了吗？"

正当最小的豌豆想发表看法的时候，它们的小房子突然像地震一样天旋地转——是农夫把这颗成熟的豆荚摘了下来。

世界终于又恢复了平静。豌豆们好像还没有意识到，它们的命运正在发生改变。

大哥说："我还在头晕，好像从未清醒过。"

二哥说："我才不管那么多，到哪儿去都无所谓。"

三哥说："我是世界上最美丽的豌豆，我要拥有太阳的光辉。"

四哥说："我是世界上最强壮的豌豆，一定要变得很大很大。"

正在豌豆们满怀热情地讨论时，只听"啵"一声，豆荚裂开了。豌豆五兄弟纷纷掉落在地，刺眼的阳光迎面而来，再也不是豆荚保护下那种柔和的光。它们连忙眯起双眼，过了好一会，才慢慢睁开眼睛。地上的泥土也在瞬间将它们包裹，它们再也不像当初那样翠绿稚嫩了。

一双小手把它们捡了起来，是农夫家的小男孩。他开心地说："这些豌豆用来当大炮的炮弹正合适。"

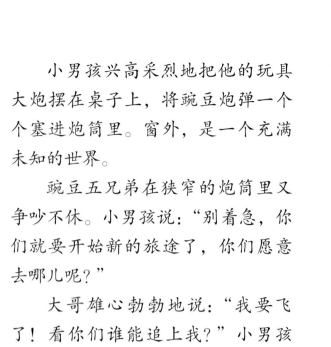

　　小男孩兴高采烈地把他的玩具大炮摆在桌子上，将豌豆炮弹一个个塞进炮筒里。窗外，是一个充满未知的世界。

　　豌豆五兄弟在狭窄的炮筒里又争吵不休。小男孩说："别着急，你们就要开始新的旅途了，你们愿意去哪儿呢？"

　　大哥雄心勃勃地说："我要飞了！看你们谁能追上我？"小男孩把它射出了炮筒。"砰"一声，大哥已经不见了踪影。

　　二哥懒洋洋地说："飞到哪儿算哪儿好了，反正哪儿都一样。"于是，二哥开始了它漫无目的的旅程。

三哥和四哥神气活现地说："我们要一起飞到太阳住的地方去。"但是，由于太过急切，它们掉在了地上，小男孩说："你们别急呀，我试试吧。"

随着"砰""砰"两声响，它们争先恐后地飞了出去。

这回轮到最小的豌豆了。小男孩问："你想去哪儿呢？"

"不管到哪儿，我都会住下来的。"小豌豆踏踏实实地回答。小男孩也满足了它的愿望。

最小的豌豆飞出了窗户，飞过了屋顶，飞上了天空……它不停地飞呀、飞呀，下面的一切显得那么渺小。一会儿，小豌豆开始边飞边往下掉，越过了好多烟囱，落在了一个又旧又小的屋顶上。它站立不住，"咕噜噜"从屋顶上滚落下来。

在屋子后面，有一扇小小的窗户，窗台上的木板已经破旧不堪，在木板的裂缝中，铺满了青苔和湿湿软软的泥土。

从天而降的小豌豆一头扎进了泥土中，它太累了，很快就进入了甜甜的梦乡。在梦中，上帝温柔地安慰它说："把这里当成你的家，慢慢地，你会发现这儿其实很美。"

　　枯黄的树叶纷纷飘落，秋天慢慢过去，寒冷的冬天来了。小豌豆在寒风中瑟瑟发抖。

　　可是，透过窗子，它发现住在这间小阁楼里的女人比它更值得同情。因为没有钱，这个女人即使在冬天也穿着单薄而破旧的衣服。

为了赚钱，她还要常常出门到别人家去做工，连劈柴这些粗重的活儿也要去做。有时候，还会抱着很多脏衣服回来洗，从早忙到晚，几乎从不休息。

她如此辛勤地劳作，却没有攒下来一点钱。因为，她每天都要花很多钱，为卧病在床的女儿买药。

　　小女孩病得很严重，无法走路，一张小床就是她的整个世界。尽管希望渺茫，可母亲为了治好她的病，依然不辞辛劳地工作着。

　　这个疲惫不堪的女人每天都会这样祷告："上帝啊，让我的女儿快点好起来吧！只要她能好，再辛苦的工作我也愿意去做。"

　　看到母亲如此悲伤，自己的病却一直不见好转，懂事的小女孩对母亲说："妈妈，看来我的病是不能好了，您祈祷，让我早日到天国去吧。"

　　母亲连忙打断她，心疼地说："傻孩子，不要乱讲话，打起精神来，你会好起来的。"

　　可是，小女孩的眼神依然黯淡，她越来越瘦了。

艰难的日子一天天过去，眼看冬去春来，温暖的阳光又露出了笑脸，洒进小窗子里，整个屋子都亮堂堂的，小女孩露出了久违的笑容。

她像往常一样抬头望着窗外，忽然开心地叫了起来："妈妈，我看见风吹着绿色的草！我看见风吹着绿色的草！"

母亲也看见了窗外那棵嫩绿色的小芽，她打开窗子仔细一看，原来是棵小豌豆苗。为了让女儿看得更清楚，她把女儿的小床移到窗户旁边。

傍晚时，母亲回来了，小女孩马上用欢快的声音说："妈妈！今天豌豆苗长高了！"

"是吗？真好！我的宝贝儿也一定会好起来的。"母亲欣慰极了，她看到女儿的眼睛里闪动着光芒，她已经很久没看见女儿充满生机的眼神了。

"我也希望自己快点好起来，看着豌豆一点点在长大，总觉得，我也会慢慢康复的。"

　　从此以后，母亲每天都悉心照料这株豌豆苗。帮豌豆浇水，又用小竹枝撑住豌豆，这样，即使有大风，也不会把豌豆吹倒了。

　　豌豆苗早已成为小女孩的朋友了。每天清晨，小女孩一睁开眼睛就会和她的豌豆朋友打招呼，默默地看着它成长。她多希望，自己能坐起来，近一些看到它。

　　小小的豌豆苗果然像小女孩希望的一样，不停地长大，一天一天往上爬。当它高挑的身姿摇曳在春风中时，小女孩已经能在床上坐起来了。

不久后的一天清晨，小女孩又欣喜地叫道："妈妈！你看！豌豆开花了，好白的花呀！"

小女孩是那样开心，仿佛忘了自己不能走路，她挣扎着扶着床边站起来，向豌豆走去，轻轻亲吻着豌豆的小白花。

豌豆苗仿佛也受到了感染，更加翠绿欲滴。窗外，已是春意盎然。

闻声而来的母亲也陪着女儿一起分享这生命的喜悦，她不禁自言自语："是谁带来了这棵豌豆苗？一定是上帝创造的奇迹吧。"

当初那颗最小的豌豆，已经开枝散叶，那它的四个哥哥上哪儿去了呢？

当它们还在豆荚里的时候，它们有着相同的出身，而如今，所谓命运的东西让它们有了各不相同的人生经历。自然，结果也大相径庭。

当初那个狂妄的大哥，掉在屋顶上腐烂了；不思进取的二哥，被鸽子当做食物吃掉了。

想要飞向太阳的三哥和四哥，掉在了池塘里，最终随波逐流，一浮一沉，一沉一浮……一个已经浸水膨胀，破裂了。另一个也开始膨胀了，还在沾沾自喜说着不着边际的话："我会长大，变成大将军呢！其他的豌豆可没有我胖。"

　　又过了些日子，小女孩的病已经完全好了。她可以经常站在窗口，看着这棵能带给她快乐的豌豆，看着多彩缤纷的世界。她的眼睛亮晶晶的，小脸红扑扑的，她从心底里感激这棵豌豆苗，也悉心照顾它。

　　风停了，雨住了，已经成熟的豌豆苗，偶尔会想起当初自己说过的话，它说："不管到哪儿，我都会住下来的。"现在，它已经长大了，都快要结出属于自己的小豆荚了。

我喜欢这个故事

我觉得这个故事……

彩色
世界童话
全集

共 60 册

意大利插画大师精心绘制 1500 幅美轮美奂手绘插图   精心呵护儿童艺术天分